Newport Community Learning
and Libraries
Z796855

D0547907

I Sam

Cyhoeddwyd gyntaf yn Saesneg yn 2013,
gan Macmillan Children's Books, adran o Macmillan Publishers Ltd
20 New Wharf Road, Llundain N1 9RR dan y teitl *Aunt Amelia.*
Cyhoeddwyd yn Gymraeg yn 2013 gan Wasg y Dref Wen Cyf.
28 Heol yr Eglwys, Yr Eglwys Newydd, Caerdydd CF14 2EA.
Testun a lluniau © Rebecca Cobb 2013
Y cyhoeddiad Cymraeg © 2013 Dref Wen Cyf.

Mae Rebecca Cobb wedi datgan ei hawl i gael ei
chydnabod fel awdur a darlunydd y gwaith hwn yn unol â Deddf Hawlfraint,
Dyluniadau a Phatentau 1988.
Cedwir pob hawlfraint. Ni chaniateir atgynhyrchu unrhyw ran o'r llyfr hwn na'i storio
mewn system adferadwy na'i drosglwyddo mewn unrhyw ffordd na thrwy unrhyw
gyfrwng electronig, peirianyddol, llungopïo, recordio, nac unrhyw ffordd arall, heb
ganiatâd ymlaen llaw gan y cyhoeddwyr.
Cyhoeddwyd gyda chymorth ariannol
Cyngor Llyfrau Cymru.
Argraffwyd yn China.

Aunt Dilys

Rebecca Cobb

Addasiad gan Elin Meek

DREF WEN

Roedden ni mewn hwyliau drwg.

Roedd Anti Dilys yn dod i ofalu amdanon ni.

Doedden ni ddim yn gwybod pwy oedd Anti Dilys

a doedden ni ddim eisiau neb i ofalu amdanon ni.

We were in a bad mood.
Aunt Dilys was coming to look after us.
We didn't know who Aunt Dilys was and we didn't want looking after.

Dywedodd Dad ein bod ni wedi cwrdd â hi unwaith pan oedden ni'n fach, fach.

Dywedodd Mam fod yn rhaid i ni fod yn dda.

Dad said we had met her once when we were tiny.
Mum said we had to be good.

Gadawodd Mam a Dad restr o gyfarwyddiadau.

“Diolch,” meddai Anti Dilys. “Dwi’n siŵr y bydd y rhain yn ddefnyddiol iawn.”

Dechreuon ni ddilyn y rhestr yn syth bìn.

Roedd hi’n dweud . . .

Mum and Dad left a list of instructions.
“Thank you,” said Aunt Dilys, “I’m sure these will be very useful.”
We started on the list straight away.
It said . . .

Plis dwedwch wrth y plant am fod yn ofalus

os ewch chi i'r parc.

Please tell the children to be careful if you go to the park.

Peidiwch â gadael iddyn nhw fynd yn agos at ymyl y pwll dŵr ...

Don't let them go near the edge of the pond

neu fynd yn rhy frwnt.

or get themselves too dirty.

Fe gân nhw hufen iâ, ond dim ond un yr un.

They can have an ice-cream, but just one each.

Mae digon o deganau ganddyn nhw'n barod . . .

They already have plenty of toys . . .

a pheidiwch â gadael iddyn nhw eich poeni chi i gael losin.

and don't let them pester you for sweets.

Bydd angen cyfnod bach tawel ar y plant fel nad ydyn nhw'n cynhyrfu gormod.

The children will need some quiet time so they don't get over-excited.

Gwnewch yn siŵr eu bod nhw'n eich helpu chi

i gadw'r tŷ yn lân . . .

Make sure that they help you with keeping the house clean . . .

ac yn daclus . . .

and tidy . . .

ac yn dwt.

and neat.

I ginio, fe gân nhw ddewis rhywbeth i'w fwyta ond ei fod yn synhwyrol.

For dinner, they can choose what to have as long as it is something sensible.

Fe gân nhw un stori cyn amser gwely . . .

They are allowed one story before bedtime . . .

ond dim teledu o gwbl . . .

but absolutely no television . . .

a pheidiwch â gadael iddyn nhw aros

ar eu traed yn rhy hwyr.

and don't let them stay up too late.

Y diwrnod wedyn roedd Mam a Dad yn dod adref,

The next day Mum and Dad were coming home,

felly aethon ni ati i gael y tŷ yn barod ar eu cyfer.

so we got the house ready for them.

"Gobeithio eu bod nhw wedi bod yn blant da."

meddai Mam.

"Fel angylion bach," atebodd Anti Dilys.

"I hope they've been good," said Mum.
"Good as gold," said Aunt Dilys.

"Oedd y cyfarwyddiadau'n ddefnyddiol?"

gofynnodd Dad.

"Yn ddefnyddiol iawn," meddai Anti Dilys.

"Were the instructions helpful?" asked Dad.
"Very," said Aunt Dilys.

Gofynnodd Mam a Dad a hoffen ni

i Anti Dilys ddod i ofalu amdanon ni

rywbryd eto.

Mum and Dad asked if we would like Aunt Dilys to come and look after us again sometime.

"Hoffen, plis!" medden ni.

"Ac efallai y gallech chi

ysgrifennu rhestr arall!"

"Yes, please!" we said.
"And perhaps you could write another list!"

Newport Library and
Information Service

Newport Library and
Information Service
John Frost Square
Newport 12/11/14
South Wales NP20 1PA

Z796855